*"Uno está enamorado, cuando
se da cuenta que la otra persona
es única"*
Jorge Luis Borges

*Para
Pedro,
Pablo
y
Joaquín*

El mismo que viste y calza

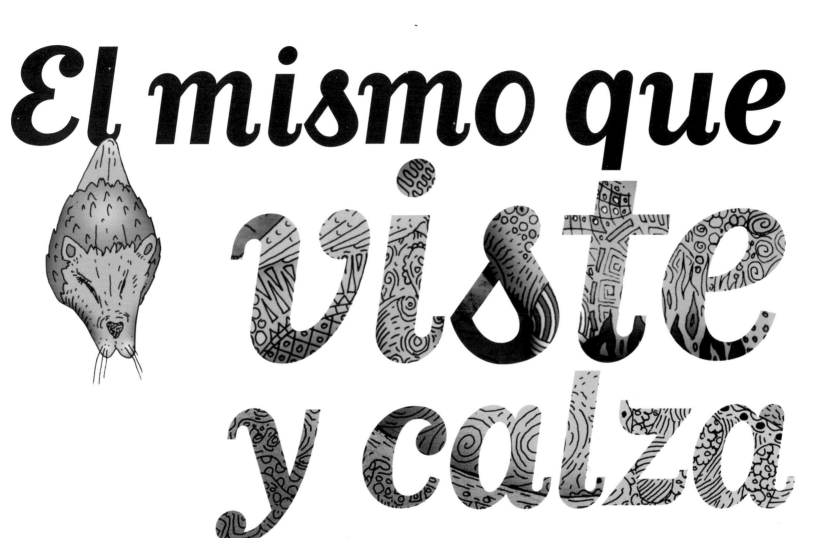

Catalina Kühne Peimbert
texto

Tepatlaxco
ilustraciones

Reloj de cuentos

Alex *nació de huevo,* de un huevo de papel maché para ser exactos. A medida que crecía se transformó en... Bueno, en una combinación, o mejor dicho, en muchas combinaciones.

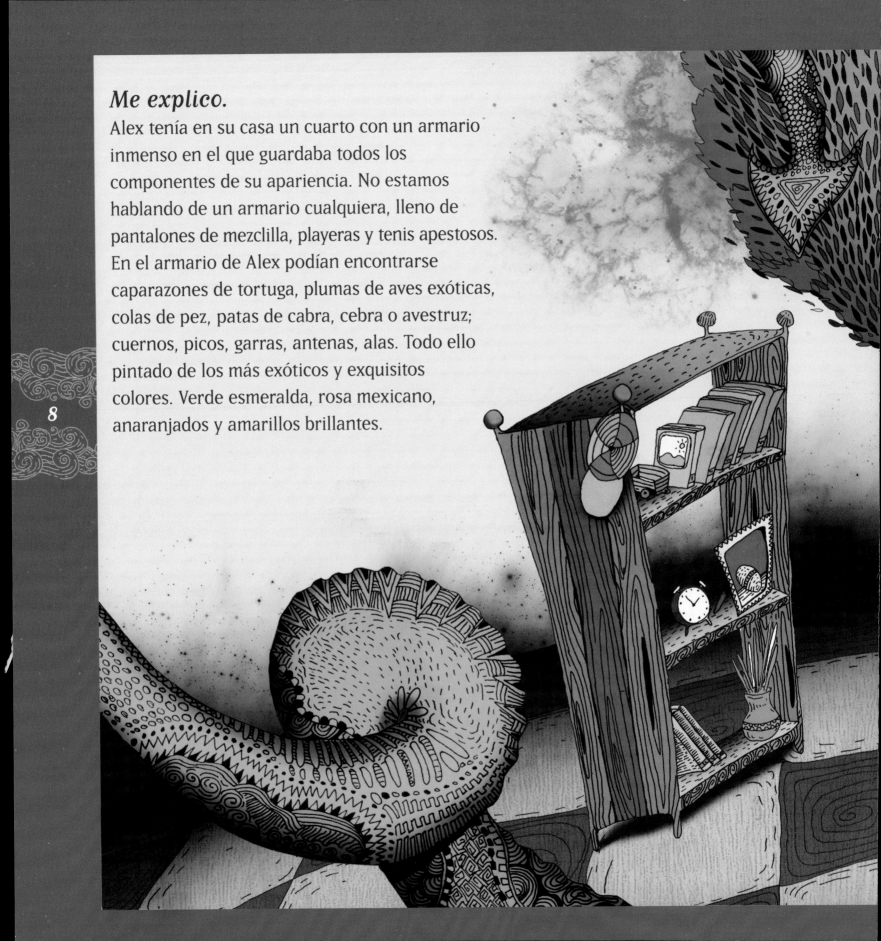

Me explico.

Alex tenía en su casa un cuarto con un armario inmenso en el que guardaba todos los componentes de su apariencia. No estamos hablando de un armario cualquiera, lleno de pantalones de mezclilla, playeras y tenis apestosos. En el armario de Alex podían encontrarse caparazones de tortuga, plumas de aves exóticas, colas de pez, patas de cabra, cebra o avestruz; cuernos, picos, garras, antenas, alas. Todo ello pintado de los más exóticos y exquisitos colores. Verde esmeralda, rosa mexicano, anaranjados y amarillos brillantes.

Esto le permitía transformarse cada día en un ser diferente dependiendo de su estado de ánimo o de las necesidades que le fuera presentando la vida.

10

Por ejemplo, cuando tenía mucha hambre, se ponía la cabeza de lobo con los dientes bien afilados, el cuerpo de rinoceronte para tener mucho espacio en la barriga y aletas de tiburón para llegar más rápido a los manjares.

En cambio, si tenía que asistir a una reunión de sabios, la decisión era simple: ojos de lechuza, cerebro de orangután, cola de zorro, bigotes de gato y cuerpo de delfín. Un día de arduo trabajo lo sobrellevaba con cuerpo de abeja, antenas de hormiga, cola y dientes de castor.

12

Así era que Alex estaba contento con su vida y con la oportunidad de poder adornarse y cambiar diariamente. Le divertía muchísimo y era un experto en seleccionar las partes precisas para formarse. Nunca tuvo ninguna duda de cómo lograr la combinación perfecta. Nunca, hasta que la conoció.

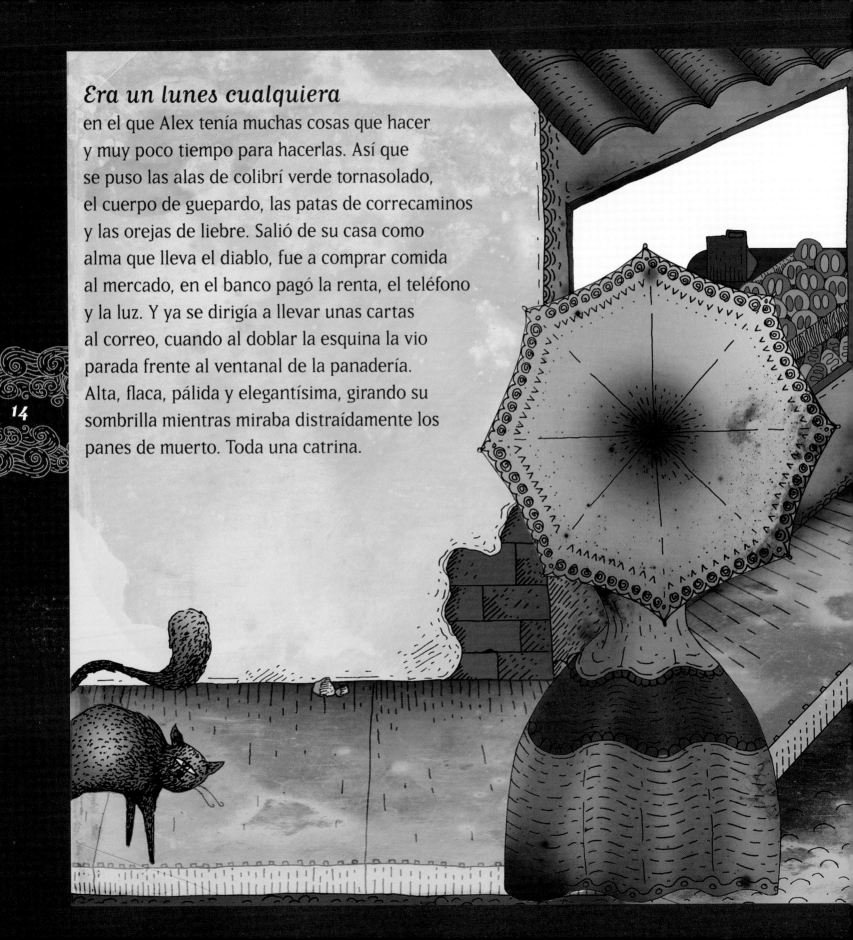

Era un lunes cualquiera

en el que Alex tenía muchas cosas que hacer
y muy poco tiempo para hacerlas. Así que
se puso las alas de colibrí verde tornasolado,
el cuerpo de guepardo, las patas de correcaminos
y las orejas de liebre. Salió de su casa como
alma que lleva el diablo, fue a comprar comida
al mercado, en el banco pagó la renta, el teléfono
y la luz. Y ya se dirigía a llevar unas cartas
al correo, cuando al doblar la esquina la vio
parada frente al ventanal de la panadería.
Alta, flaca, pálida y elegantísima, girando su
sombrilla mientras miraba distraídamente los
panes de muerto. Toda una catrina.

14

Alex quería detener su loca carrera, pero sus alas no dejaban de moverse frenéticamente, al igual que sus patas que casi hacían un surco en el piso. Ella levantó la cabeza y lo miró directo a los ojos. Alex se alejó dejando un rastro de polvo y un suspiro.

En todo el día no logró concentrarse;
y como iba tan rápido, se la pasó dejando desastre
y medio a su paso. Sólo pensaba en ella, su
sombrero de plumas, su cara, su espigada figura.
No podía esperar para verla otra vez. Toda la noche
soñó que se conocían y compartían un pan de
muerto, mientras reían y se veían directo a los ojos.

16

Cuando llegó la mañana, se levantó
de muy buen humor dispuesto a encontrarla
y dejarla totalmente impresionada. Sacó del armario
las más vistosas y coloridas alas de mariposa, una
cola de pavo real, una melena de león y la piel de un
camaleón que cambiara constantemente de color.
Decidido salió a la calle y se dirigió a la panadería
en donde la había encontrado el día anterior.
No estaba.

Alex no perdió las esperanzas
y se quedó un buen rato a la puerta de la panadería.
Cuando estaba a punto de rendirse, ella apareció
y lucía mucho más bonita de lo que Alex recordaba.
Ella también parecía haberse esmerado en
su arreglo y los ojos le brillaban de una manera
especial. Enseguida Alex desplegó la cola y las alas
y se dirigió hacia ella, que lo miraba un poco
desconcertada.

18

—Buenos días señorita.

—Buenos días caballero.

—Permítame presentarme. Me llamo Brije, Ale Brije, pero mis amigos me dicen Alex.

—Catalina, para servirle.

—Tal vez es mucho atrevimiento, pero no sé si me permitiría invitarle un pan de dulce.

—Disculpe, pero estoy esperando a alguien.

—No, discúlpeme usted a mí, no debí molestarla.

En ese preciso momento lo único
que Alex quería era que se lo tragara la tierra,
y como eso no sucedió, inventó una excusa
cualquiera y salió corriendo.
Catalina estaba confundida. Tan sólo ayer había
visto a ese ser fantástico que iba a toda velocidad
y había esperado encontrárselo de nuevo este
día. Y en cambio había aparecido este otro,
con sus alas y su cola y todos esos colores y ella,
simplemente, no sabía cuál le gustaba más.
Se sintió tonta por no aceptar el pan dulce y se
propuso regresar a la mañana siguiente, a ver
si volvía a encontrarlo, a él, o al rápido.

Cuando Alex llegó a su casa
no podía estar más descontento consigo mismo.
¿Cómo se le había ocurrido ponerse unas
cosas tan escandalosas? Seguramente Catalina
habría pensado que era un pedante,
presumido, impertinente...
Al menos sabía su nombre, Catalina.
Catalina, la catrina.

Tal vez, con un poco de esfuerzo, mañana tendría más suerte.

Apenas salió el sol, Alex fue nuevamente al armario y esta vez trató de ser bastante más humilde, incluso diría que se le pasó un poquito la mano. La timidez lo dominó por completo. Cabeza de avestruz, cuerpo de gusano, bien cubierto con un caparazón de tortuga. Todo en tonos cafés y grises opacos. Llegó arrastrándose a la panadería y encontró a su calaca tilica y flaca sentada en la banqueta, con los brazos cruzados sobre las huesudas rodillas. Intentó acercarse, pero no lograba animarse.

Catalina lo observaba por el rabillo del ojo.

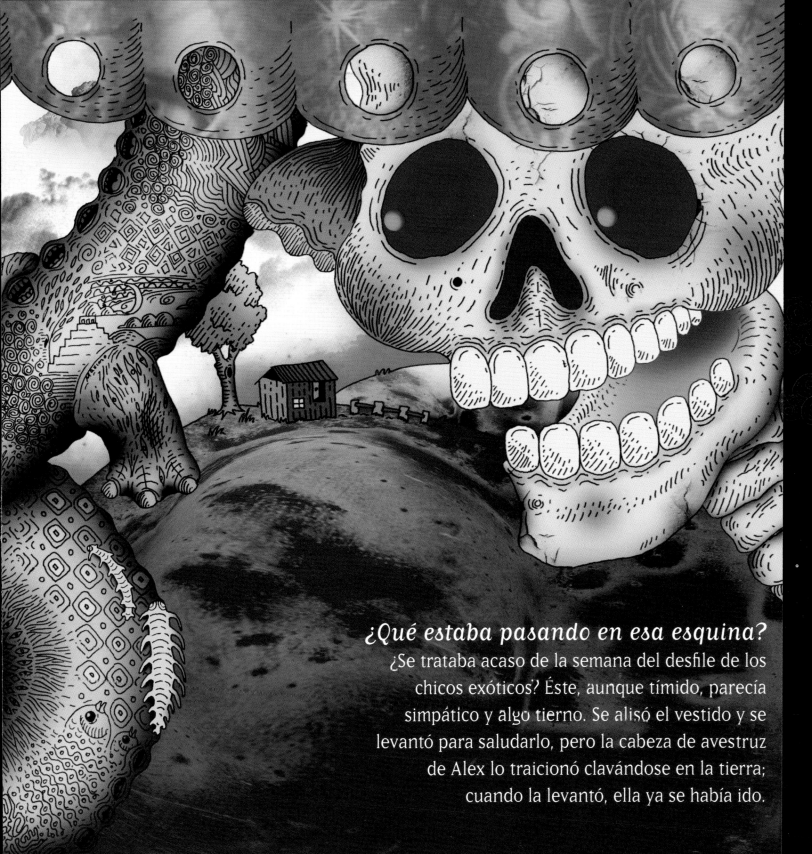

¿Qué estaba pasando en esa esquina?
¿Se trataba acaso de la semana del desfile de los
chicos exóticos? Éste, aunque tímido, parecía
simpático y algo tierno. Se alisó el vestido y se
levantó para saludarlo, pero la cabeza de avestruz
de Alex lo traicionó clavándose en la tierra;
cuando la levantó, ella ya se había ido.

Los siguientes tres días

Catalina no apareció y Alex estuvo enojadísimo.
Ya saben, cola de escorpión, cuernos de carnero,
púas de puercoespín, dientes de sable. Tristísimo.
Pasaba por la panadería y se hacía bolita con
su esqueleto de cochinilla, mientras se ensuciaba
las orejas largas de sabueso con el lodo que
producían sus lágrimas de cocodrilo al mezclarse
con la tierra.

24

25

La extrañaba, la extrañaba
tanto que al siguiente día, desolado, sólo pudo
vestirse con partes de animales extintos. No sabía
qué había hecho mal, ni dónde tenía que buscarla
para volverla a ver. Había echado mano de todos
sus recursos. Incluso, cuando pensó que había
exagerado un poco con lo de la cola de pavo real y
eso, después se transformó en un tipo mesurado,
serio, totalmente distinto a los otros dos. Por
completo diferente... ¡Por supuesto! pensó Alex.
¡Totalmente distinto! Ahora entendía todo.

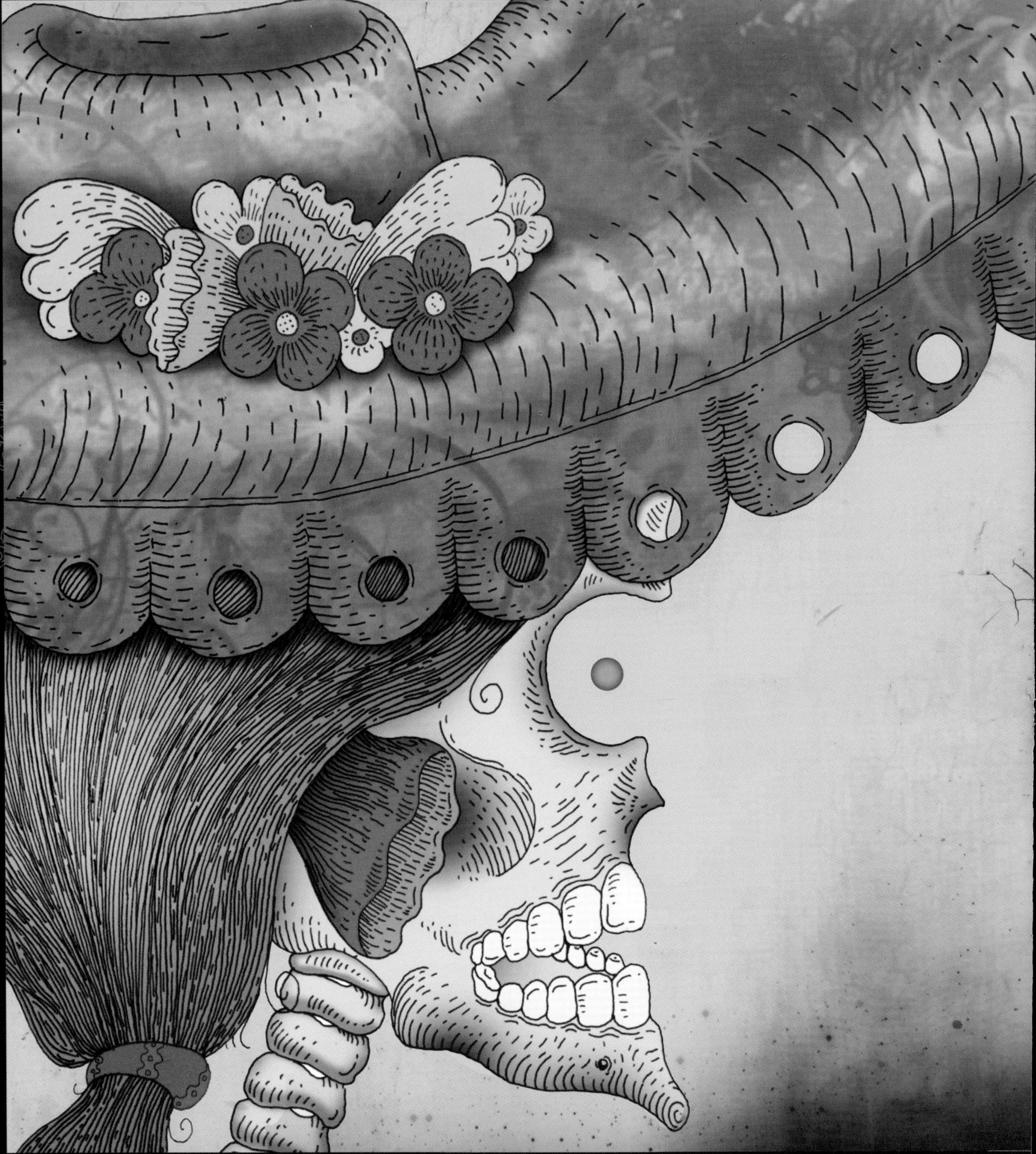

Esos tres días que Catalina
no apareció por la panadería,
estaba mucho más cerca de lo que
Alex pudo haber sospechado. Resulta
que vivía justo enfrente y por eso todos los días
pasaba un rato a disfrutar de los olores del pan
recién horneado. Pero todo lo que había pasado
la tenía intrigada, por lo que decidió observar
desde su ventana por si aparecía alguno de esos
muchachos tan peculiares. Fue así que encima
de los que ya le habían tocado, también pudo ver
las otras tres transformaciones del señor Brije
y cada vez entendía menos.

Mirando por la ventana no hacía
otra cosa que pensar, pensar y pensar. Repasaba
una y otra vez en su cabeza todo lo ocurrido.
Definitivamente sentía que estaba enamorada.
Pero ¿de quién? ¿Por qué eran todos unos tipos
tan raros? ¿Por qué siempre pasaban por el
mismo lugar, su lugar? Pero lo más importante,
¿por qué todos le gustaban tanto? Los fue
repasando uno por uno: el veloz, el exuberante,
el tímido, el enojado, el triste, el desolado.
Todos le parecían igual de guapos, todos tenían
el mismo encanto para ella, a pesar de sus
diferencias... ¡Claro! ¡Igual! ¡El mismo!

Alex corrió a su armario y por primera vez
en su vida, se puso todo. Sí, todo. Las plumas,
los picos, los pelos, las colas, los dientes,
los cuernos, las patas, las alas, las antenas,
las pieles. Todo. Y regresó a la panadería.
Catalina estaba esperándolo con una sonrisa.

—¿Alex?

—¡El mismo que viste y calza!
—Creo que siempre sí quiero ese pan de dulce.
Y entraron a la panadería tomados del brazo,
bueno, del brazo y del ala.

31

CIDCLI

D.R. © CIDCLI, S.C.
Av. México No. 145-601
Col. Del Carmen Coyoacán
C.P. 04100, México, D.F.

www.cidcli.com.mx

D.R. © Catalina Kühne Peimbert
D.R. © Marco Antonio Fernández A. (Tepatlaxco)

Coordinación editorial: Rocío Miranda
Cuidado de la edición: Elisa Castellanos
Diseño gráfico: Gabino Flores Castro

Primera edición, junio 2011
ISBN: 978-607-7749-31-8

El mismo que viste y calza se acabó
de imprimir en el mes de septiembre de 2011
en los talleres de QuadGraphics S.A. de C.V.
Fracc. Agro Industrial La Cruz, Villa del Marqués,
Querétaro, Qro.

El tiraje fue de 2 000 ejemplares.
Impreso en México / *Printed in Mexico*